Les Éditions du Boréal
4447, rue Saint-Denis
Montréal (Québec) H2J 2L2
www.editionsboreal.qc.ca

Lucien et la barbe de Dieu

DU MÊME AUTEUR

Lucien et les ogres, Boréal, 1998.

Lucien et le mammouth, Boréal, 1999.

Jean Heidar

Lucien et la barbe de Dieu

Boréal

Les Éditions du Boréal remercient le Conseil des Arts du Canada
ainsi que le ministère du Patrimoine canadien et la SODEC
pour leur soutien financier.

Les Éditions du Boréal bénéficient également du Programme de crédit
d'impôt pour l'édition de livres du gouvernement du Québec.

Illustrations : Denis Goulet.

© 2000 Les Éditions du Boréal
Dépôt légal : 4ᵉ trimestre 2000
Bibliothèque nationale du Québec

Diffusion au Canada : Dimedia
Distribution et diffusion en Europe : Les Éditions du Seuil

Données de catalogage avant publication (Canada)

   Heidar, Jean, 1952-

   Lucien et la barbe de Dieu

   (Boréal Junior ; 69)
   (Lucien)
   Pour les jeunes de 10 ans et plus.

   ISBN 2-7646-0066-6

   I. Goulet, 1965-   . II. Titre. III. Collection. IV. Collection : Heidar,
Jean, 1952-   . Lucien.

PS8565.E415L78   2000   jC843'.54   C00-941537-8
PS9565.E415L78   2000
PZ23.H44LU   2000

CHAPITRE 1

Il faisait beau à Montréal. La ville grouillait de vélos et de promeneurs en short.

Assis sur le balcon, Lucien et Platypus se grisaient de soleil quand, tout à coup, une masse informe tomba du ciel et vint s'écraser devant eux.

En se rapprochant, ils virent que c'était une vieille grand-mère toute fripée modèle courant, de celles que l'on croise dans la rue ou au Dollarama. Un peu patraque, elle se relevait tant bien que mal, en lissant sa jupe.

— Vous n'êtes pas blessée? demanda Lucien, inquiet, en lui tenant le coude de façon maladroite.

La vieille se dégagea d'un air mauvais.

— Ho le vilain bonhomme ! Ho le vilain bonhomme !

Elle dardait un regard furibond vers le ciel et Lucien, vexé, s'enfonça dans un silence triste.

Platypus, un peu à l'écart, risqua :

— Vous faisiez du parachute ?

— Pardon ? répondit la vieille dame en clignant des paupières. Du parachute ?

— Si vous me donniez votre adresse, poursuivit Platypus sans insister, je pourrais peut-être vous reconduire chez vous…

— Bien sûr, bien sûr.

La vieille se tapotait le crâne pour mieux réfléchir.

— En attendant, proposa l'explorateur, nous pourrions peut-être aller goûter !

* * *

— Rien pour moi, soupira la visiteuse en se pinçant le gras du ventre, j'ai beau être éternelle, ça ne m'empêche pas de grossir.

— Éternelle ?

Debout sur le comptoir de cuisine, Lucien manqua de tomber en ouvrant la porte d'armoire.

— Mais vous n'êtes pas grosse, mentit Platypus, pour la rassurer.

— Pas grosse !? Et ça ? s'exclama la vieille en montrant son derrière, c'est du jambon de pénitence peut-être !? Au moins, j'ai conservé mes jambes. Elles sont pas mal mes jambes, non ?

Pour bien montrer, elle releva sa jupe un peu au-dessus du genou.

— Le vélo, c'est grâce au vélo. Et aux vitamines A B C D, bien sûr.

Et la vieille dame se lança dans une longue explication faite de cardio-machins et de règles de grammaire.

À sa façon de tourner en rond, de pinailler et de tâter les dossiers de chaises, on la devinait sur le point de solliciter une grande faveur.

— Écoutez, dit-elle, … le hasard fait… j'aimerais… peut-être que… enfin si…

Puis :

— Bref, j'ai besoin de vous !

Elle attendait les réactions, immobile.

Occupé à se tartiner une tranche de pain, l'explorateur répondit :

— Si nous pouvons vous être utiles, pourquoi pas ? Après tout, j'ai des loisirs !

— Moi aussi, dit Lucien d'une voix sourde — il avait maintenant la tête dans le pot de biscuits —, j'ai des loisirs !

— Tant mieux pour vous, rétorqua la vieille, parce que moi, des loisirs, je n'en ai pas ! Des siècles que je n'ai pas rêvassé dans mon bain.

Elle hésita un court instant, puis, s'étant choisi une chaise, elle poursuivit :

— Voilà ! Si je vous demande de m'aider, c'est que j'ai des problèmes, de graves problèmes…

Elle se tut pour bien montrer la gravité de ses problèmes, mais comme ni Lucien ni Platypus ne réagissait, elle enchaîna :

— On m'a dévalisée !

— Ah ! dit l'explorateur, c'est pas de chance.

La vieille pinça les lèvres. Si fort que Platypus ajouta aussitôt, puisqu'il s'était proposé :

— Que peut-on faire pour vous ?

— Récupérer la barbe !

— Mais encore ? Quelle barbe ?

— Ma barbe, la barbe de Dieu !

Platypus et Lucien se regardèrent, interloqués.

— Vous savez, la mode des femmes à barbe est très révolue. Ma grand-mère qui avait du poil au menton vous le confirmerait, c'est sûr.

— Je ne rigole pas, monsieur Platypus ! tonna la vieille dame. Odin m'a volé ma barbe et je veux que vous la récupériez !

CHAPITRE 2

De fait, la vieille dame était très sé-
rieuse.

— Mais, mAIS, mais, MAIS…, chan-
tonna l'explorateur en clé de sol.

— Oui, oUI, oui, OUI…, répondit la
vieille en clé de fa.

— Alors ? s'exclama Lucien, vous
êtes…

— C'est moi ! Dieu le père.

Dehors, le ciel était toujours aussi bleu
et le soleil aussi chaud. Les radios des voitures continuaient à poumpoumtchiquer
à plein volume en se traînant de feux
rouges en feux rouges.

Lucien la dévisageait bouche bée :

— Je ne vous imaginais pas comme ça…

— Moi non plus, ajouta l'explorateur un peu déçu… Plutôt plus ou plutôt moins, comment dire…

La vieille haussa les épaules, agacée :

— Moi, je ne m'imagine pas, je suis. C'est pire.

La chaleur devait l'irriter. Sous sa tignasse, elle ronchonnait, toute pâle. De fines gouttes de sueur perlaient sous son nez.

— Mais qui est Odin ? demanda Lucien.

— Un dieu viking, répondit l'explorateur. Il habite le Walhalla, le paradis des guerriers morts en héros.

— Un voleur ! tonna la vieille dame. Lui et sa bande de désœuvrés ont profité de mon infinie candeur pour faire irruption chez moi et voler toute ma garde-robe. Zing zing, pfuit pfuit, et les voilà partis. Je n'ai plus rien à me mettre ! Mais le pire, c'est la barbe. Un dieu sans barbe ce n'est plus un dieu, c'est une réclame de pharmacie, un rasoir jetable, une lotion désopilante…

— Une lotion désopilante ? interrompit Lucien.

— Désopilante ou épilatoire… je ne sais plus. Mais bref, une barbe ce n'est pas un dentier et je n'aurais pas dû la laisser sans surveillance à côté du verre à eau. En parlant de verre à eau, ajouta-t-elle, j'en boirais un volontiers.

Platypus fit signe à Lucien qui s'empressa de courir à l'évier.

— C'est bien sûr une mission délicate, poursuivit la vieille dame après avoir bu une gorgée. Périlleuse même. Le chemin du Walhalla est semé d'embûches et de Walkyries. Son entrée est gardée par trois dragons féroces. Sans oublier la suite que je n'ose vous raconter.

L'explorateur s'inquiéta :

— Trois dragons ?

— C'est ce qu'on raconte, mais allez savoir si c'est vrai !

Et d'un geste qui devait être machinal, elle s'étira la peau du cou pour mieux réfléchir.

— C'est loin ? demanda Lucien en reprenant le verre vide.

— Très. Dans les montagnes du Nord.

— Et comment irons-nous ?

— En passant par le frigo.

— Par le frigo ?! s'exclamèrent ensemble Lucien et Platypus.

— Il ne faut pas briser la chaîne du froid.

— La chaîne du froid ? demanda l'explorateur sans comprendre. Et vous ?

— Moi ? Quelle question ! Je reste ici à me soigner. C'est que, depuis tout à l'heure, j'ai des bleus plein les fesses… Aïe aïe aïe… Je boite presque… Ouille ouille ouille… Sans compter mon allergie aux cailloux. Très grave, mon allergie aux cailloux : quand je vois une montagne, j'éternue. Croyez-moi, je ne vous serais d'aucune utilité.

Puis, changeant de ton, la vieille ajouta :

— Il faudra emporter une petite laine, les nuits risquent d'être fraîches.

CHAPITRE 3

N'importe quoi…, murmura Lucien en examinant le fond du réfrigérateur.

Accroupi derrière, Platypus hocha la tête. Du salon leur parvenait le son aigu de la télé.

— Rien de bon ! critiquait la vieille en actionnant la télécommande. Ridicule ou idiot, c'est selon… Vous avez des cassettes ?

L'explorateur ouvrit toute grande la porte du congélateur et tapota le plancher du compartiment :

— Y'a quelqu'un ?

Pour mieux voir, il déplaça trois boîtes de jus d'orange, deux poulets et un grand saumon congelé.

— On ne perd rien à essayer.

Il s'avançait dans le congélateur, bras tendus, en sautillant comme pour plonger.

Trop petit pour l'imiter, Lucien tentait la route basse, celle des bacs à légumes.

Il chipotait dans les carottes quand, derrière lui, la porte du frigo claqua, le poussant tête première dans les courgettes et les radis, par-delà les aubergines, les betteraves et les poireaux.

Il passait tout juste les choux-fleurs quand une lumière vive l'obligea à fermer les yeux. Quand il les rouvrit, une interminable toundra s'étendait devant lui. Un vertige horizontal. Un désert de mousses et de lichens parsemé de bouleaux nains.

À trois pas, assis sur les talons, Platypus cueillait tranquillement des fleurs sauvages.

— Étonnant, non ?

— Et pour revenir ? bégaya Lucien, épaté mais pragmatique.

Il tourna sur lui-même, un peu comme

font les chiens, avant de s'asseoir à son tour, les mains sous les fesses.

— On verra bien.

L'explorateur plissait les yeux.

À courte distance, un troupeau de bœufs musqués broutait, paisible, pittoresque comme une chaîne de montagnes.

— Et maintenant ?

— Ce que tu peux être pressé, s'énerva Platypus.

— C'est que, répliqua Lucien, nous avons une mission à remplir. Sans oublier que dans ce genre d'histoire la nuit tombe vite et qu'il serait dommage d'être dévoré tout cru par un ours insomniaque.

L'explorateur hocha la tête. Il connaissait les ours bruns, les ours noirs, les grizzlys, les ours polaires mais pas les ours insomniaques.

— Tu crois ? dit-il. Alors en route ! Marchons droit devant. Nous finirons bien par rencontrer quelqu'un.

Là où se trouvent des bêtes, il s'en trouve d'autres. C'est une loi de la nature. Montés sur une longue pierre plate, des touristes pointaient justement leurs jumelles tantôt sur l'horizon, tantôt sur le troupeau de bœufs musqués.

Pour s'exciter et justifier le prix du voyage, ils murmuraient à tour de rôle : « C'est beau ! Que c'est beau ! Regardez comme c'est beau. »

Sauf une grande costaude à l'accent indéfinissable qui, dans ses lunettes d'approche, voyait s'avancer Lucien et Platypus.

— Là ! cria-t-elle, des Esquimos !

— Des Inuits, rectifia quelqu'un, on dit Inuit.

Vingt paires d'yeux se mirent fébrilement à scruter la toundra.

— Ceux-là semblent vraiment très acculturés, soupira une petite brune en ajustant son appareil-photo, on dirait mes voisins.

Intimidés, Lucien et l'explorateur regardaient tout droit, regardaient de côté, se grattaient les oreilles.

Ils n'étaient plus qu'à trois cents pas du groupe lorsque l'un des touristes, monté sur un invraisemblable fauteuil roulant à moteur, laissa retomber ses jumelles pour foncer sur eux.

— Attention !

Sans ralentir, le fauteuil dévalait la pente, bondissant dans les cailloux.

Jusque-là très calmes, les bœufs musqués commencèrent à s'agiter. Deux mâles baissèrent la tête et grattèrent le sol. Puis, comme s'ils ne savaient pas très bien contre qui se défendre, ils se ruèrent l'un sur l'autre.

— Mémé ! s'écria Platypus. Mémé Trompinette !

C'était elle en effet. Championne mondiale toutes catégories du moteur à piston, bricoleuse de génie, inventeur du fauteuil tout-terrain. Trompinette c'était pour rire.

En vrai, et c'était écrit dans son passeport, elle s'appelait Gertrude Trompe-la-mort.

— Nicolas ! s'écria Mémé. Platy-vieux-machin…, mais qu'est-ce que tu fabriques ici ?

— C'est une longue histoire, répondit Nicolas Platypus qui n'osait pas parler du frigo. Et vous ?

— Moi ? Bof, je me promène.

— Ici dans l'Arctique ? fit l'explorateur, étonné.

— Quoi, c'est très joli ici dans l'Arctique ! Tu ne trouves pas ça joli, ici dans l'Arctique ? Au lieu de poser des questions idiotes, tu devrais me présenter ton copain.

— Lucien, dit Lucien en s'avançant vers elle.

— Enchanté. Moi, c'est Gertrude. Mémé si tu préfères. Tu as une bonne tête, je sens qu'on va bien s'entendre tous les deux.

Gêné d'avoir une bonne tête ou plutôt

du compliment, Lucien détourna les yeux et plongea les mains dans les poches.

En haut, sur le surplomb rocheux, les promeneurs s'impatientaient.

— Alors vous venez ? criait le guide, un petit baraqué au teint mat, nous rentrons.

— Non ! hurla Mémé Trompe-la-mort, qui n'aimait pas du tout recevoir des ordres. On se débrouillera sans vous.

Le guide haussa les épaules puis s'éloigna, suivi des touristes. Ils marchaient en colonne, l'un derrière l'autre, recueillis comme des moines.

CHAPITRE 4

– Enfin, souffla madame Trompinette, je vais enfin pouvoir travailler tranquille ! Figurez-vous que ces zigotos me sont tombés dessus complètement par surprise.

Elle les regardait s'éloigner, impatiente. Lorsque le dernier touriste eut disparu, elle donna un coup d'accélérateur, et son fauteuil bondit en avant et fila à toute berzingue vers le grand rocher.

Lucien et Platypus couraient derrière sans vraiment comprendre, plutôt mus par un réflexe.

Tout en roulant, Mémé fouillait dans son sac. Sous les kleenex et le fond de teint, elle trouva une loupe de joaillier et un marteau de prospecteur. Arrivée au plateau rocheux, elle stoppa son engin et sauta sur ses pieds.

— Mais qu'est-ce que vous faites ? haleta l'explorateur en la rejoignant. Essoufflé par la course, il se tenait la poitrine à deux mains. Lucien suivait.

Assise en tailleur, Mémé Trompinette cassait des cailloux.

— J'avais peur qu'ils ne l'aient vu…

— Vu quoi ?

— Le filon ! Le filon d'or !

— De l'or !? fit Lucien en ouvrant de grands yeux émerveillés.

— De l'or peut-être ; nous le saurons bientôt, dit-elle en fendant d'un coup sec tout du long la pierre qu'elle tenait à la main.

— Alors ?

— Minute ! Laissez-moi le temps de regarder.

Gertrude Trompe-la-mort ajusta sa

loupe et ferma un œil. Au bout d'un instant, elle releva la tête et fit la moue.

— Pas de chance, dit-elle. J'aurais pourtant juré…

— Vous êtes chercheuse d'or ?

Elle s'était relevée et ils marchaient maintenant tous les trois, côte à côte, en regardant le bout de leurs bottines.

— Si vous cherchiez autre chose ? poursuivit Lucien. Des opales par exemple ou des diamants. Il paraît qu'en Australie…

— Pffuitt ! L'Australie ! C'est très surestimé l'Australie ! Et puis il y fait trop chaud… Et vous deux ? demanda tout à coup madame Trompe-la-mort pour changer de sujet. Vous ne m'avez pas répondu tout à l'heure.

— C'est que, bredouilla Lucien…

— Nous cherchons des montagnes, enchaîna Platypus. Les montagnes du Nord.

— Vous faites de l'alpinisme ?

L'explorateur baissa la tête pour éviter de répondre.

— Je pourrais peut-être vous accompagner, suggéra Mémé Trompinette. Mon fauteuil peut très bien nous porter tous les trois. Et puisqu'il n'y a pas d'or ici…

Lucien et Platypus se lancèrent un rapide coup d'œil. En plus de sa machine qui leur permettrait de voyager à pleine vitesse à travers des kilomètres de toundra, madame Mémé traînait dans ses bagages une demi-douzaine de bâtons de dynamite, une boussole et une tablette de chocolat. Toutes choses utiles en promenade.

— D'accord, répondit l'explorateur, mais sachez avant de partir — et il prit un air sérieux — que nous courrons sans doute de graves dangers.

Pour toute réponse, Mémé Trompinette se tapa le front et les deux bras, puis s'enfuit à toute vitesse.

— Le vrai danger, hurla-t-elle en sautillant, ce sont ces sales moustiques qui vont me rendre folle si nous ne partons pas tout de suite.

CHAPITRE 5

Ils roulaient depuis des heures à travers les carex* et les bouleaux nains, les lichens et les fleurs sauvages, quand ils arrivèrent dans un petit village de bord de mer.

Kankunsualujjuak. Sa baie. Sa pêche. Son granit. Ses chasseurs de caribous.

Jusque-là tranquilles, de grands chiens de traîneau, couchés le nez dans les pattes, se mirent à aboyer.

Des femmes qui pendaient le linge

---

* Carex : plante à feuille coupante voisine des graminées.

tournèrent la tête. Il faisait grand beau temps, et leurs silhouettes, plaquées dans le paysage, semblaient découpées dans le bleu du ciel.

— Allons manger, décréta madame Trompe-la-mort, je meurs de faim ! Peut-être pourrons-nous nous informer au sujet de vos montagnes…

Chez *Hillary's Take Out*, c'était l'heure morte. Assise derrière le comptoir, Hillary la cuisinière regardait la télé. Au-dessus de sa tête, un tableau écrit en anglais annonçait des frites, des hot-dogs et des hamburgers.

Deux vieux, assis à une table, discutaient à voix basse en regardant par la fenêtre.

— Ai ! dit Mémé en mettant le pied dans la porte.

— Ai ! répondit Hillary.

— Qanuippit ?

— Qanuinngitunga. Qanuippit ?

— Qanuinngitunga.

— Vous vous connaissez ?

Trop intrigué pour être poli, Lucien la tirait par la manche :

— Qu'est-ce qu'elle dit ?

— Ma foi, bredouilla Mémé Trompinette, pas grand-chose. Nous allons très bien toutes les deux.

Dehors, les cris des oiseaux de mer se mêlaient à ceux des enfants.

— Touriste ? demanda l'un des deux vieux à Platypus.

— Non ! protesta l'explorateur, fâché qu'on puisse le prendre pour un vacancier. Explorateur.

Déconcerté, le vieux se détourna et alluma une pipe qu'il téta par à-coups, s'auréolant d'un long chapeau bleu.

— Nous cherchons des montagnes, expliqua madame Trompe-la-mort, vous n'en auriez pas vu par hasard ?

Hillary, la cuisinière, mit le doigt dans sa bouche.

— Il y a bien les monts Torngat, marmonna-t-elle, les joues pleines de sucreries.

Un caramel lui collait aux dents et, avec l'ongle, elle faisait des efforts gigantesques pour le déloger.

Les deux vieux à la table se regardèrent :

— Dangereux, dit celui qui n'avait pas encore parlé. Dans notre langue, Torngat veut dire « montagnes des mauvais esprits ». Nombreux sont les chasseurs qui n'en sont jamais revenus. Le soir, par temps calme, on entend des voix gémir et pleurer. Mauvais.

Et le vieil homme se leva pesamment pour effectuer trois pas de danse.

— Ça donne à réfléchir, admit Gertrude Trompinette en s'approchant du comptoir. Elle leva la tête et commanda un hot-dog relish moutarde.

— Frites ? demanda Hillary.

— Tu crois qu'ils les font à l'huile de phoque ? chuchota Lucien à Platypus.

— Imbécile ! répondit madame Mémé qui avait tout entendu.

CHAPITRE 6

L es monts Torngat. La plus haute chaîne de montagnes du Québec. Des kilomètres de gorges, de crêtes, de précipices et de vallées.

— De montées et de descentes, soupira Platypus.

— T'as raison, dit Mémé Trompe-la-mort en refermant son atlas de poche. Ça ne sera pas facile. Même muni de crampons, mon fauteuil ne pourra pas monter bien haut. Si au moins vous saviez exactement où vous allez.

— Nous verrons sur place.

Mais en lui-même, l'explorateur se demandait ce qu'il pourrait bien voir sur place si ce n'est des tonnes de cailloux.

Aidée de Lucien, madame Trompinette finissait de préparer son fauteuil motorisé. Pour plus de confort, elle en avait allongé la plate-forme arrière afin de garantir à Platypus un meilleur équilibre. Quant à Lucien, bien calé entre les genoux de la chercheuse d'or, il ne risquait pas de tomber.

Pour ce qui est du reste, le magasin général de la Northern leur avait fourni tout ce qui pouvait manquer, des boîtes de soupe aux sacs de couchage.

Des petits enfants habillés de couleurs vives les observaient de loin. Pour s'amuser, les plus braves s'approchaient en courant, faisaient kwak-kwak-kwak, puis se sauvaient à toute vitesse, les coudes hauts, en s'étouffant de rire.

— Voilà, nous sommes prêts! lança Gertrude Trompe-la-mort. Ne reste plus qu'à nous souhaiter bonne chance.

Du coup, les enfants redevinrent sérieux et s'immobilisèrent.

— Au revoir! leur cria Platypus, à bientôt!

Le moteur crachota trois flammèches et le fauteuil s'ébranla. Déjà, en plissant les yeux, on pouvait apercevoir les cols enneigés des montagnes aux mauvais esprits.

* * *

« Cadet Roussel a trois maisons, Cadet Roussel a trois maisons… »

À défaut de radio, madame Trompinette avait décidé de meubler le silence. Sa voix rauque, éraillée dans les aigus, avait le mérite, sinon d'être agréable, du moins de couvrir le bruit du moteur.

— Il faudrait quand même un jour me raconter votre histoire.

Depuis le départ, ils avaient parcouru des dizaines de kilomètres, et son répertoire de chansonnettes commençait à s'épuiser.

Ils approchaient des montagnes. Autour d'eux, le paysage se resserrait. En suivant des caribous qui trottaient le long d'un cours d'eau, ils pénétrèrent dans une vallée aux flancs abrupts et à la végétation clairsemée.

De rares épinettes montaient à l'assaut des pentes rocheuses, bouquets d'arbustes vite essoufflés, tout rabougris, battus par les vents du nord.

— Rude pays ! marmonna Platypus en évitant de regarder madame Trompe-la-mort. Beau mais rude. Ça doit bien dépasser les quinze cents mètres… et cet air… quel air… pur… pur…

— J'attends, insista Mémé Trompinette, je veux savoir ce que vous venez trafiquer dans ce coin perdu.

— C'est que c'est un peu bizarre, répondit Lucien.

— Bizarre ? C'est vous qui devenez bizarres avec vos cachotteries !

L'explorateur prit tout à coup une longue inspiration et lâcha d'une traite :

— Nous sommes ici par la volonté d'une vieille dame.

— Ah! fit Mémé. Elle tira de sa poche un paquet de chewing-gum… Et c'est qui cette vieille dame?

— C'est le bon Dieu, murmura Lucien. On lui a piqué sa barbe. Un Viking à ce qu'il paraît, un monsieur Odin.

CHAPITRE 7

Mémé Trompinette descendit de son fauteuil pour réfléchir et se dégourdir les jambes.

— Décidément, tu me plais bien, dit-elle au jeune garçon. Non seulement tu es sympathique, mais tu es aussi rigolo. Si nous résumons, nous sommes ici dans ces montagnes afin de récupérer une barbe, la barbe d'une vieille dame, une barbe volée par Odin.

— Mais c'est vrai ! protestait Lucien, la vérité vraie. La preuve, c'est que nous sommes arrivés ici par magie, en passant par le réfrigérateur.

— Par le réfrigérateur !? Tiens tiens…

Et par quelle marque de réfrigérateur?

— Je ne me souviens plus, bredouilla Lucien. C'est important?

— Non, c'est sans importance. Je demandais ça comme ça, à tout hasard.

Songeuse, Mémé Trompinette retourna s'asseoir dans son fauteuil et se mit le poing sous le menton.

— Elle aurait pu au moins vous donner des indices, dit-elle. C'est pas très sérieux tout ça… Elle aurait pu vous indiquer un passage, une route… Comment voulez-vous que l'on se retrouve dans toutes ces montagnes?

— On pourrait peut-être lui téléphoner, suggéra Platypus. À l'heure qu'il est, elle doit être encore au salon à regarder la télé.

Madame Trompe-la-mort releva la tête.

— Ce n'est pas une mauvaise idée, admit-elle.

Surtout qu'il y avait une cabine télé-
phonique plantée à deux pas, cadeau de la
Nunavik Téléphone aux promeneurs éga-
rés.

— Mais je n'ai pas de carte d'appel.

— Moi, si! dit Lucien qui se contor-
sionna aussitôt pour la retirer de sa poche
et la remettre à Platypus. Et elle est presque
neuve.

— Alors tout va bien! conclut l'explorateur en se dirigeant joyeusement vers la
cabine.

Il allait la rejoindre quand le téléphone,
à l'intérieur, sonna.

— Allô? dit-il, d'une voix un peu hésitante.

— Bonjour monsieur, lui répondit-on
au bout du fil. Pourrais-je parler à la maîtresse de maison?

— Pardon?

— C'est merveilleux. C'est merveilleux parce que vous venez de gagner une
boîte de sauce tomate et un abonnement

de quatre semaines au mensuel *La Bonne Nouille* si vous répondez correctement à la question suivante : « Sur une échelle de 1 à 10 où 1 veut dire pas du tout et 10, énormément, aimez-vous les spaghettis ? »

— Euh… énormément, bafouilla l'explorateur.

— Sur une échelle de 1 à 10, tête de bois !?

— Beaucoup…

— Désolé, vous avez perdu. La bonne réponse était 10. Meilleure chance la prochaine fois.

Un peu abasourdi, Platypus se pencha vers Lucien et lui tendit le combiné et la carte d'appel.

— Vas-y, toi ! dit-il, tu parles mieux que moi au téléphone.

— Moi !?

Pas très convaincu, et même intimidé, le jeune garçon saisit l'appareil et composa le numéro. Platypus s'impatientait :

— Alors ?

Il le pressait comme un chien excité.

— Elle est là ?

— Chuut, ça sonne !

— Bonjour madame, débita Lucien à toute vitesse. Ici c'est Lucien, Lucien… le petit Lucien… LUCIEN, quoi… Vous vous souvenez ? Le frigo, la barbe, tout ça… C'est que monsieur Platypus et moi, on est un peu perdus et qu'on ne sait plus très bien quelle direction prendre…

— Dis-lui que nous sommes dans une vallée pleine de caribous.

— Mais chuutt à la fin, je n'entends pas ce qu'elle dit… Les dragons ? Non non, on ne les a pas vus…

— Des dragons, non mais je vous jure…, marmonna Gertrude Trompe-la-mort.

À l'autre bout du fil, la vieille toussota pour s'éclaircir la voix.

— Cherchez la montagne qui fume. La table d'Odin est dessous. Elle ne doit pas être très loin. Et dépêchez-vous, je commence à faiblir… C'est une chose que je ne vous avais pas dite, mais sans ma barbe je perds mes forces, je perds la tête, je deviens folle, je deviens bête… Mes amis, je ne veux pas vous inquiéter, mais je suis en train de disparaître, je suis en train de m'évaporer.

— C'est à cause de la télévision…, bougonna Mémé Trompinette, qui avait l'oreille fine. Moi, je ne la regarde jamais et je me porte à merveille.

— Elle a raccroché. Ce serait quand même dommage qu'elle disparaisse, observa Lucien avec inquiétude.

— Tu parles ! dit madame Trompe-la-mort, elle dit ça pour qu'on se bouge le train !

Mais, même bougonne, Mémé plissait les yeux et se tournait vers les montagnes.

Au bout d'un moment, à force de lever la tête, de scruter les alentours et de faire la girouette, ils commencèrent tous trois à se sentir étourdis.

Très haut dans le ciel, des oies passaient en trompetant.

— Elles retournent dans le sud, commenta Platypus d'une voix mélancolique.

Il les suivait du regard, le cœur chargé de brume, quand tout à coup Lucien brandit l'index :

— Là, hurla-t-il, de la fumée !

À peine visible, cachée derrière les premières crêtes, une mince colonne de vapeur blanche jaillissait d'un promontoire rocheux.

— Bravo ! s'écria madame Trompinette en essayant de localiser l'endroit.

Quand elle eut trouvé et bien enregistré le dessin de la montagne, elle baissa les yeux vers son sac et prit ses jumelles.

— Mais c'est loin. Et pas facile de s'y rendre…

Elle passa les jumelles à Platypus qui s'était rapproché et voulait constater de lui-même.

— Je crois que nous ferions mieux

d'abord de nous reposer, suggéra-t-elle. D'ailleurs le soir commence à tomber.

— Se reposer !? objecta Lucien. Mais il n'est pas tard !

— Plus tard que tu ne crois, répondit madame Trompe-la-mort. Au Nunavik, en été, les nuits sont courtes et les jours, interminables. Allez, aide-moi à monter la tente. Et toi aussi, Platy.

L'explorateur laissa retomber les jumelles.

— Je crois que j'ai vu quelque chose, murmura-t-il d'une voix hésitante.

Il avait l'air tout drôle. Il se tourna encore une fois vers les montagnes puis vers ses deux compagnons.

— Un nain, dit-il. Une sorte de gnome en culottes rouges.

CHAPITRE 8

–Tu as certainement mal vu, décréta madame Trompinette en cadenassant son fauteuil à moteur. Les gnomes en culottes rouges qui se trimbalent dans les montagnes, ça n'existe pas.

Elle le cadenassait parce qu'on ne sait jamais, par habitude, surtout parce qu'elle y tenait beaucoup. Depuis qu'elle l'avait fabriqué à force de bouts de ferraille trouvés n'importe où, même dans les poubelles, Mémé Trompe-la-mort avait, grâce à son fauteuil, parcouru tous les continents, traversé tous les déserts, le Sahara comme le Takla-Makan.

— Héhéhé…, disait-elle, je me rappelle

un crocodile en Amazonie… une bête épouvantable, avec des dents comme des poignards…

C'était une femme très distrayante.

Il faisait froid et pour se réchauffer, Platypus avait ramassé des brindilles et du bois sec. Ils étaient maintenant assis tous les trois autour du feu et se racontaient des histoires.

— … et voilà que cet abruti de crocodile entre dans ma tente. Je le sens qui frôle mes pieds, qui pose son long museau froid sur ma cuisse… Je n'osais plus bouger ni respirer. Je me disais : voilà, ma pauvre vieille, c'est ici que se terminent tes aventures.

— Et ? demanda Lucien. Il ne vous a pas mangée ?

— Tu vois bien que je suis encore là.

Elle allait continuer son histoire quand derrière eux, dans la nuit, la petite harde de caribous s'agita.

— Des loups, souffla Platypus. Ils sont sûrement poursuivis par des loups.

Lucien les imagina en chasse, marchant bas, la queue à ras de terre, les omoplates au-dessus de la tête. Les caribous, eux, couraient en tous sens, apeurés. Des ombres qui, par moments, brillaient dans l'obscurité.

Le feu commençait à baisser, et madame Trompe-la-mort se pelotonnait de plus en plus dans sa veste.

— Allons nous coucher, proposa l'explorateur qui la sentait grelotter, demain la journée sera rude.

* * *

Recroquevillé dans son sac de couchage, Lucien tentait de dormir. Dans la tente, tout était paisible. Platypus et Mémé ronflaient, tantôt en chœur, tantôt en canon.

Malgré la présence rassurante de ses grands amis, Lucien n'osait pas remuer.

« Demain, pensait-il pour se tranquilliser, lorsqu'il fera jour, je leur dirai qu'ils

m'empêchaient de dormir avec leurs ron-
flements. »

Il s'imagina Platypus en train de faire
du café, assis en petit bonhomme devant le
feu. Déjà, dans sa tête, il entendait le bruit
des casseroles et des gamelles d'aluminium.

Dehors, la pluie commençait à tomber.
Elle tambourinait sur la toile. De grosses
gouttes, monotones comme l'ennui.

Lucien allait glisser dans le sommeil
lorsque les murs et le toit de la tente se mirent tout à coup à bouger, à tanguer et à
gondoler.

« Le vent », pensa-t-il, et, même s'il
était figé de peur, il donna un léger coup de
coude à Platypus.

— Le vent, marmonna l'explorateur à
demi réveillé.

— Hé bien dis donc, ça souffle, ren-
chérit Mémé Trompe-la-mort en se re-
tournant sur le côté.

Tous deux allaient se rendormir quand
un formidable coup de tonnerre les fit sur-

sauter. Ils attendaient la suite, comme on attend la fin d'un orage, un peu crispé, les oreilles aux abois ; mais la suite fut étrange. En haut, dans la montagne, perdus dans la tourmente, des chevaux hennissaient.

C'étaient de longs cris aigus, terribles, qui écrasaient la poitrine et donnaient la chair de poule.

CHAPITRE 9

Dès l'aube, ils furent sur pied. À la lumière du jour, les événements de la nuit semblaient moins menaçants et même un peu risibles. Il ne pleuvait plus mais le ciel restait bas, lourd, d'un gris plombé.

Après s'être débarbouillés dans l'eau de la rivière, ils mangèrent des tartines et se préparèrent à partir.

— J'espère qu'il fera au moins un petit peu soleil, ronchonna madame Trompinette, parce que sinon…

— Sinon quoi? interromput Platypus pour la taquiner.

Et, pour montrer que la vie valait la

peine d'être vécue, il sifflota : « *Tout va très bien madame la marquise. Tout va très bien. Tout va très bien.* »

Comme prévu, la journée s'annonçait pénible ; il valait mieux l'attaquer de bonne humeur. La tente avait été démontée et rangée avec tout le barda inutile, dans les sacoches du fauteuil.

On allait devoir laisser l'engin sur place ; madame Trompe-la-mort l'époussetait et s'affairait autour, comme pour lui demander d'être sage et prudent et de ne pas parler aux inconnus pendant son absence.

— En route ! cria Platypus, avant que la paresse ou la torpeur ne les cloue sur place. Nous devons être revenus avant ce soir.

Il avançait la tête droite, l'allure presque militaire, et Mémé s'attendait à tout instant à ce qu'il sorte sa trompette et sonne la charge.

En soupirant, parce qu'il est toujours difficile de se mettre à l'effort, elle se tourna vers Lucien :

— Tu viens ? Si jamais tu fatigues, tu pourras grimper sur mon dos.

Lucien haussa les épaules. Il n'était plus un bébé. Il n'avait pas du tout l'intention de fatiguer ; moins en tout cas qu'une Gertrude Trompechose de sa connaissance. L'explorateur les houspilla encore.

— Allez dépêchez-vous. La vue doit être formidable de là-haut.

* * *

— Vous le connaissez depuis longtemps ? demanda Lucien à madame Trompinette.

Lui et Mémé cheminaient derrière. La pente n'était pas trop raide et, même si elle les faisait haleter, ne les empêchait pas de parler. Et puis parler faisait passer le temps. Déjà ils avaient franchi un col et traversé une petite vallée. Dans moins d'une demi-heure, ils atteindraient les crêtes et, de là, la montagne qui fume.

— Des années que je connais Nicolas. Nous avons fait nos études ensemble. Enfin, en quelque sorte. J'étais sa maîtresse d'école.

— Il avait de bonnes notes ?

— Au même âge, les miennes étaient meilleures. Mais c'est normal. Il courait partout, dans les rues, dans les champs, dans les bois, alors que moi, j'étudiais. Et puis, entre nous, les filles sont plus intelligentes que les garçons.

— Plus intelligentes ? renâcla Lucien. Comment vous le savez ?

Madame Trompe-la-mort pinça la bouche et leva les sourcils.

— Je le sais, c'est tout !

Lucien hocha la tête : il n'était pas vraiment convaincu. Plus sages à la rigueur, mais plus intelligentes ? Il y réfléchissait en observant les oiseaux. Quand il baissa les yeux, l'explorateur disparaissait derrière le sommet de la montagne.

— Monsieur Platypus, cria Lucien,

tout énervé. Monsieur Platypus, n'allez pas trop vite !

Il se mit à penser aux bruits de la veille, aux hennissements des chevaux, aux dragons du Walhalla et au nain en culottes rouges.

— Monsieur Platypus !

CHAPITRE 10

Lucien s'inquiétait pour des prunes. Adossé contre une pierre, l'explorateur les attendait en mangeant un sandwich jambon-beurre qu'il enfournait avec appétit.

— Z'en voulez ?

— Sans façon, répondit madame Trompinette.

Son regard, comme celui de l'explorateur, fixait la colonne de fumée blanche qui, toute proche, s'échappait des rochers.

— Une caverne, baragouina Platypus, la bouche pleine. Peut-être une source d'eau chaude.

— Comme en Islande ?

La question restait en suspens.

Tout à ses observations, l'explorateur continuait d'engloutir son sandwich, les yeux rivés sur l'étrange phénomène.

— Comme en Islande ? répéta Lucien.

Sans répondre, Mémé Trompe-la-mort leva le doigt pour le faire taire et se mit la main derrière l'oreille.

— Chuuuttt…

Intrigué, l'explorateur plissa les yeux et cessa de manger.

— Une porte, dit-il.

— Des pas, souffla Lucien, j'entends des pas.

Sorti de nulle part, un affreux petit homme émergea tout à coup de la montagne, en brandissant une épée.

Vêtu d'une paire de culottes rouges, casqué et botté, il marchait les genoux hauts, comme un soldat à l'exercice.

Après une série d'allers retours, il pivota sur lui-même et, d'un pas rapide, escalada un pic rocheux qui devait servir de tour de guet.

— Mazette ! jura Mémé en vieux patois. Le nain aux culottes pourpres !

Elle avait parlé haut et le gnome, petit mais pas sourd, se retourna d'un coup en grognassant.

Plus rapides, Lucien, Mémé et Platypus s'étaient jetés à plat ventre. Tout ramassés sur le sol, ils continuaient à l'épier en respirant à peine.

Le petit homme hésitait. Au bout d'un moment, haussant les épaules, il descendit de son piédestal, puis, à reculons, il disparut. Le temps de compter jusqu'à dix, et madame Trompinette se dressa d'un bond.

— Vous avez vu ça ? dit-elle. Vous avez vu ? Mais qu'est-ce que c'était ?

— Odin ? suggéra Lucien. Mais si c'est lui, il n'est pas bien grand.

— Le mieux serait d'aller lui demander, proposa Nicolas Platypus. Il a l'air comme ça un peu bizarre, mais il n'est peut-être pas méchant.

* * *

Là où avait disparu le nain, une énorme porte de fer barrait l'entrée de la montagne.

On pouvait lire, placardé dessus, le message suivant :

CHAUFFERIE DU WALHALLA
DÉFENSE D'ENTRER

LES CONTREVENANTS
SERONT ÉCORCHÉS VIFS
OU PENDUS, C'EST SELON.

— Nous y sommes ! marmotta l'explorateur pour lui-même. Le Walhalla. La barbe de Dieu.

Malgré l'avertissement, la porte n'était pas fermée à clé.

— Qu'est-ce qu'on fait ? On cogne ?

Mémé Trompe-la-mort brandissait le poing, prête à se fracasser les jointures.

— Regardons d'abord à l'intérieur, suggéra Platypus. Vu le contexte, mieux vaut être prudent. C'est la moindre des choses.

Placée au-dessus de la porte, une fenêtre à battant permettait au trop-plein de chaleur de s'échapper.

L'explorateur plia les genoux et Lucien, devinant ce qu'on attendait de lui, monta sur ses épaules.

— Tu vois quelque chose ?

Il ne voyait rien. Du moins rien de particulier, même en plissant les yeux.

— Il faudrait de la lumière, dit-il.

— Et bien tant pis, gronda Platypus.

Et, pour se donner du courage, il ajouta :

— À la grâce de Dieu !

CHAPITRE 11

Quelle chaleur, maugréa Mémé Trompe-la-mort dès qu'ils eurent mis les pieds à l'intérieur. Ce serait la porte de l'enfer que ça ne m'étonnerait pas. Si j'avais su, j'aurais apporté mon bikini.

Elle soufflait du bout des lèvres comme pour rafraîchir l'atmosphère.

— Plutôt la porte d'un sauna, répondit l'explorateur en tâtant la pierre brûlante des murs.

Madame Trompinette secoua sa chemise.

— Sauna ou pas, dit-elle, vivement qu'on sorte d'ici. Cette chaleur ne me vaut rien ! Déjà que ma pression artérielle est trop élevée…

Ils avançaient à tâtons en craquant des allumettes.

— Comme s'il ne faisait pas déjà assez chaud, bougonna encore Mémé la râleuse.

Une invraisemblable tuyauterie courait sous les plafonds, tantôt petite, tantôt énorme, tantôt nue, tantôt couverte de toile d'amiante.

Lucien ouvrait grand les yeux.

— On dirait le ventre d'une bête, dit-il. Vous entendez les glouglous dans les tuyaux ?

— Le monstre digère, ricana Mémé Trompe-la-mort.

Mais elle pensa qu'elle avait peut-être raison et cessa aussitôt de fanfaronner.

Ils continuaient à avancer à petits pas, tournicotant dans tous les sens, ne sachant plus très bien où ils allaient, ni d'où ils étaient venus. Imperceptiblement, ils se mirent à marcher plus vite, puis un peu

plus vite encore, puis encore plus vite. Comme si la peur s'était mise à leur chauffer les fesses et à les pousser dans le dos.

Ils allaient courir quand Platypus ouvrit grand les bras pour stopper tout le monde.

— On se calme, dit-il, en essayant de reprendre lui-même ses esprits.

D'ailleurs, c'était très indiqué de garder son sang-froid puisque devant il y avait une porte.

— Enfin, soupira Mémé. Il était temps, je suis à bout. Manquerait plus qu'elle soit verrouillée !

Ils reprenaient haleine, honteux de s'être affolés. L'explorateur s'était approché de l'ouverture et, lentement, il tournait la poignée.

— C'est ouvert, dit-il.

* * *

La porte de la chaufferie donnait sur un immense couloir, où s'alignaient, à intervalles plus ou moins rapprochés, d'autres portes. De chaque côté, des bougies brûlaient dans des crânes retenus aux murs par des tiges de métal.

— Pittoresque mais un peu kitsch…, commenta froidement madame Trompe-la-mort.

Après avoir ouvert trois portes et visité, dans l'ordre, une penderie, un cabinet de toilettes et un placard à balais, Lucien, qui marchait en tête, s'arrêta subitement.

— Il y a quelqu'un, dit-il.

— Bon, dit tout à coup madame Trompe-la-mort en fonçant nerveusement vers la quatrième ouverture. Assez de simagrées.

D'une main ferme, elle cogna plusieurs fois puis attendit qu'on lui ouvrît. Pour donner pleine mesure, elle tapait du pied, les yeux au ciel, frétillante et décidée comme un vendeur d'aspirateurs.

De l'autre côté, une voix aiguë cria :

— Qui va là ?

— Une aventurière, répondit poliment Mémé. Et vous, qui êtes-vous ?

— …

Sans se démonter, madame Trompinette répéta sa question :

— Et vous ? Qui êtes-vous ?

— Un nain, dit simplement le nain. Un troll*. Le gardien de l'entrée ouest.

Au mot « ouest », il ouvrit brusquement la porte et les chargea avec son épée.

Cependant, toute vieille et râleuse qu'elle pouvait être, Mémé avait encore des réflexes. D'un coup de genou, elle envoya bouler le troll qui roula jusqu'au mur.

— Excusez-moi, dit-elle, je ne voulais pas vous faire de mal.

---

* Troll : en Scandinavie, lutin des montagnes et des forêts.

Assis par terre avec une prune sur le front, le nain pleurait à chaudes larmes.

— Méchante madame, pleurnichait-il. Méchante vieille madame.

— Je voulais seulement vous poser des questions.

— Méchante vieille madame, continuait de hoqueter le petit homme.

C'était à la fois inattendu et touchant.

Dans un élan de compassion, Mémé Trompinette voulut se pencher et le prendre dans ses bras, mais le nain bondit sur ses pieds, fila dans le corridor et disparut derrière une porte.

CHAPITRE 12

Arrêtons-le avant qu'il ne sonne l'alarme, cria Mémé toujours vive d'esprit. Un nain ça va, mais deux, bonjour les dégâts !

Platypus et Lucien couraient dans le couloir en ouvrant toutes les portes, essayant de trouver la bonne, celle qui avait permis au nain de s'enfuir.

Mémé Trompinette suivait, la main sur la poitrine et la bouche ouverte. C'est qu'elle n'avait plus quinze ans.

— La sortie, dit-elle en respirant fort. Il a pris la sortie.

— Celle-là, elle sait toujours tout ! ronchonna Platypus.

Lui et Lucien s'étaient arrêtés devant la porte de l'escalier de service et attendaient que madame Trompe-la-mort les rejoigne.

— Qu'est-ce que vous attendez ? sifflat-elle de loin.

La porte battait encore ; le petit homme ne devait pas être très loin.

— Vous ! répondit l'explorateur. C'est vous qu'on attend !

Comme dans n'importe quel immeuble, l'escalier descendait par volées d'un palier à l'autre. Une sorte de va-et-vient monotone qui semblait plonger dans l'infini.

Le nain s'était arrêté ou courait du bout des orteils car rien ne résonnait si ce n'est le vide.

Mémé Trompe-la-mort se tapa dans les mains.

— Tout ça devient très excitant, ditelle. Nicolas, si tu continues, tu auras une bonne note !

— Une bonne note, répéta Lucien, pour rire.

— Ça suffit ! gronda l'explorateur. Au lieu de radoter des bêtises, vous devriez réfléchir un peu. Nous sommes tous les trois dans une cage d'escalier à poursuivre un nain bizarroïde qui menace de nous embrocher à coups d'épée. Ça mérite un peu d'attention, non ! ?

— On peut être attentif et détendu, se défendit Mémé Trompinette. La preuve c'est que lorsque le crocodile est entré dans ma tente, là-bas en Amazonie…

Madame Trompe-la-mort se tut brusquement. Assis un peu plus bas sur une marche, deux grands gaillards aux cheveux roux fumaient tranquillement de longues pipes en écume de mer.

Ils étaient assis côte à côte et discutaient de la pluie et du beau temps.

— Fameux combat d'étalons, dit l'un, comme on se rappelle un bon match de hockey. Mais le cheval de Thor a perdu. Il n'était pas du tout content, le Thor. Hou là là. Furax même. Il a piqué une de ces crises ! On a dû l'entendre tonner jusqu'en enfer.

— C'était donc ça, songea Platypus. La nuit dernière… Thor, le dieu du tonnerre… et les hennissements…

Sans cesser de parler, les deux hommes s'étaient levés pour les laisser passer.

— Pardon, risqua Mémé en prenant son air tarte-aux-pommes. Vous n'auriez pas vu un nain en culottes rouges ?

Tout à leur discussion, les deux gaillards secouèrent la tête, sans qu'on sache vraiment si c'était pour dire oui ou pour dire non.

— Et la table d'Odin ? Vous savez où elle se trouve ?

— Prochain palier, ma brave dame, répondit le plus costaud sans même la regarder. Mais si Odin vous demande où nous sommes, ne le lui dites pas. Depuis l'hiver dernier, il est interdit de fumer au Walhalla.

Madame Trompe-la-mort haussa les épaules et fit signe à Lucien et à Platypus de la suivre. Le prochain palier, ils y étaient presque. Lorsqu'ils eurent doublé les deux hommes, Lucien s'étonna :

— Je ne savais pas que les Vikings fumaient la pipe ! ?

— Ni moi, dit Platypus.

— Ceux-là viennent certainement du Vinland, expliqua Mémé qui était restée un peu maîtresse d'école. Et le Vinland, c'est l'Amérique. Et l'Amérique, le tabac. Mais assez papoté.

Un peu nerveuse, elle s'humecta les doigts pour se lisser les cheveux, frotta ses lèvres l'une contre l'autre pour étendre son rouge et, puisqu'ils étaient arrivés, poussa la porte.

CHAPITRE 13

La pièce était immense, presque une salle de bal. Assis autour d'une table tout aussi disproportionnée, une ribambelle de grands garçons buvaient et mangeaient. Le plus grand et le plus fort de tous, Odin, appelé aussi Wotan, était une sorte de patriarche un peu presbyte, toujours à tendre la corne que s'empressaient de remplir de très jolies demoiselles, les Walkyries.

— Du vin ! Que l'on m'apporte du vin ! criait Odin en tendant sa corne de bœuf qui, chez les Vikings, servait de verre, de coupe, de chope et peut-être même de trompette.

Tout près de lui, braves parmi les braves, siégeaient Harald le Noir, Harald le Beau, Harald le Laid, Harald au Petit Bedon, Harald le Pieux, Harald le Sanguinaire, Harald à sa Maman et d'autres Harald encore.

Pour agrémenter le repas, des scaldes* chantaient leurs exploits en mode majeur, racontant des aventures et des faits d'armes qui autrement auraient été vite oubliés.

— Citronnette ! siffla Mémé en entrant.

Dès qu'ils eurent franchi la porte du palier et mis le pied dans la grande salle du Walhalla, trois Walkyries se précipitèrent sur eux pour leur offrir des cornes, des grignotines et une place à table.

Elles souriaient, toutes blondes dans leur tablier, le crayon dans une main, le bon de commande dans l'autre.

---

*Scalde : poète.

— Et pour vous, ce sera? demandè-rent-elles.

— Le plat du jour, répondit Platypus sans consulter le menu.

L'une des Walkyries mouilla la mine de son crayon.

— Nous disons donc… Une soupe d'avoine…, une pieuvre bouillie dans le lait de chèvre… et une tranche de pain noir. Avec ou sans gruau, la pieuvre?

— Sans… merci, bredouilla l'explora-teur qui sentait son appétit diminuer.

— Et pour vous?

La deuxième hôtesse s'était tournée vers Mémé et brandissait son carnet.

— Et pour vous? demanda la troi-sième.

Un peu paniqué, Lucien cherchait à se dérober quand un cri perçant le fit sursauter. À l'autre bout de la table, bondissant entre les plats et les assiettes, les yeux brillants, le nain aux culottes rouges courait vers eux de toute la vitesse de ses petites jambes.

— Misère! souffla madame Trompinette. Je commençais à l'oublier celui-là.

Le nain passait Harald le Beau et Harald le Pieux, lorsque Harald le Cruel l'attrapa par la cheville et le jeta en l'air.

Partout on se mit à applaudir.

— La clochette! cria quelqu'un. La clochette!

La clochette était un sport très amusant. Il s'agissait pour les concurrents de lancer un troll, n'importe lequel, le plus haut possible, jusqu'à la petite cloche qui pendait du plafond. Le gagnant était celui qui la faisait sonner le plus grand nombre de fois.

Malgré sa bonté naturelle, Mémé respirait mieux.

— À la bonne heure, se disait-elle. En voilà un dont on n'entendra plus parler.

Elle allait commander du saumon de Norvège à la sauce aux câpres, quand Lucien la poussa du coude.

— Regardez! souffla-t-il à voix basse.

Il montrait des yeux la cheminée derrière Odin.

Sur le marbre au-dessus de l'âtre s'alignaient, en rang d'oignons, une suite d'objets extraordinaires.

Dans des cloches de verre bien étiquetées, on pouvait voir le nez du cyclope Polyphème, le géant à un œil qui retint Ulysse prisonnier, et le sceptre du pharaon Ramsès II. Dans d'autres, des écailles de sirène. Dans d'autres encore, des diamants gros comme des têtes de chat… Et au milieu de toutes ces raretés brillait, majestueuse, resplendissante, d'une blancheur inouïe, une barbe, la barbe de Dieu !

CHAPITRE 14

S ans se lasser, les convives comptaient un à un les sons de cloche.

— Vingt-sept, tonna Harald à la Langue pendue.

Harald le cruel triomphait. Vingt-sept c'était pas mal. Les spectateurs commençaient à mastiquer plus lentement. Vingt-sept dans le lancer de troll, c'était presque un record. Il y avait bien les quarante-trois de Harald la Bonté, mais c'était dans le vieux temps, aux époques où les plafonds étaient moins hauts.

— C'est le moment, chuchota Platypus à Lucien. Mets la barbe sous ta chemise et marche lentement jusqu'à la sortie.

Debout derrière Odin, Mémé jouait les paravents.

C'était risqué, mais l'occasion était trop belle.

— Vingt-huit! cria le troll qui, encore plus que les autres, presque fier, nombrait tous les coups au but.

Lucien rentra le ventre.

— Ça pique! dit-il.

Mais ce n'était pas le moment de se plaindre. À petits pas, pour ne pas éveiller l'attention, Lucien se dirigea vers la porte du palier. Platypus suivait, tout comme, plus loin derrière, madame Trompinette.

À trois mètres. La sortie. Sous le panneau rouge. Lucien retenait ses jambes pour s'empêcher de courir. Une demoiselle Walkyrie l'arrêta brusquement.

— Vous nous quittez déjà? Et la soupe?

Le petit garçon la regardait tout bête, ahuri comme un phoque.

— Je n'ai rien commandé, bredouilla Lucien. Il avait envie de vomir.

— J'ai dû faire erreur, excusez-moi.

— Trente-quatre ! rugit Harald à la Langue pendue en se frottant les mains.

Gagnés par l'excitation, les gens autour de la table se donnaient des coups d'épaule ou riaient stupidement.

Lucien poussa la porte, talonné, si on peut dire, par les genoux de l'explorateur qui lui martelaient le dos.

— Mémé ! appela Platypus. Dépêchez-vous ! Mais qu'est-ce qu'elle fabrique ?

Elle trottinait souriante, un peu énervée, l'air d'arriver en retard à un rendez-vous.

Là-bas, dans la salle, Harald le Cruel venait de rater son tir et les Vikings, vaguement déçus, étaient retournés à leurs cornes et à leurs assiettes.

— Vite ! gémit l'explorateur. Je sens que…

De fait, un murmure commençait à s'élever autour de la table. Un murmure stupéfait qui soudainement se mit à enfler, à déborder, à gronder, jusqu'à devenir tumulte. Les braillards braillaient. Les siffleurs sifflaient. Les cogneurs cognaient. Odin s'était levé, furieux, la lèvre frémissante. De rage, il avait empoigné le premier venu, Harald le Malchanceux, qu'il secouait en hurlant :

— Ma barbe ! Mes diamants !

Des flots de salive lui coulaient de la bouche. Il tourbillonnait, hagard, l'œil exorbité, horrible.

Dans l'encadrement de la porte, Platypus regarda Mémé d'un air interrogateur.

— Ben quoi, grogna madame Trompinette. Ils étaient là…

— Vous avez pris les diamants ? pouffa Lucien, incrédule.

Ce n'était pas le moment d'en discuter. Brandissant leurs épées et leurs haches de guerre, les Vikings se ruaient vers le palier.

— Qu'on les rattrape ! beuglait Odin. Qu'on les étripe ! Qu'on les écartèle ! Qu'on les brûle tout vifs !

CHAPITRE 15

Ouille ouille ouille, répétait Mémé Trompe-la-mort à toute vitesse. Ouyouille ouyouille ouyouille !

Derrière, les Vikings se poussaient du coude en jouant à qui les étriperait le premier.

— Plus-vite-plus-vite-plus-vite ! hurlait-elle.

Platypus avait saisi Lucien sous le bras et montait les marches quatre à quatre.

— C'est encore haut ? demanda Lucien.

Il ne se rappelait plus très bien. Ils auraient pu demander aux fumeurs de pipe, mais ceux-ci avaient déserté l'escalier. Pla-

typus haletait de plus en plus fort. Chaque nouveau pas devenait une montagne, une épreuve, un calvaire.

— Je n'en peux plus ! souffla madame Trompinette. J'ai les poumons en feu. Continuez sans moi ; je vais essayer de les retenir.

Elle avait dit ça pour faire la brave, mais en réalité, elle tenait très moyennement à affronter seule une armée de Vikings ou à se faire découper en petits morceaux. Platypus l'encouragea :

— Allons, encore un effort, nous y sommes presque !

— Si nous y sommes presque…

Le dernier palier. Une porte rouge framboise.

Trois enjambées et ils y étaient.

*   *   *

— Je ne me reconnais pas, dit Lucien, nous nous sommes trompés d'étage.

— Tu as raison, constata l'explorateur. Ce n'est pas le même étage.

— Nous nous sommes trompés d'étage ! dit à son tour Gertrude Trompe-la-mort que l'inquiétude rendait sourdingue.

Platypus hocha la tête. Dans un instant, les Vikings allaient aussi se tromper d'étage et pousser la porte rouge framboise.

Il déposa Lucien par terre et retourna ses manches de chemise.

— Bon, dit-il au petit garçon. Tu connais le karaté ?

— Je ne sais pas ce que tu veux faire, gronda madame Trompinette, mais moi je ne reste pas ici !

— C'est difficile ? demanda Lucien.

— Comme ci, comme ça…

Sur le palier, on se bousculait. Trois douzaines de furieux s'apprêtaient à faire irruption dans le couloir et, sous le choc, la porte menaçait d'éclater.

— Et si on s'enfuyait ? proposa Lucien.

— C'est une idée.

Surtout que Mémé, un peu plus loin et très impatiente, les appelait à grands cris.

— Venez ! hurlait-elle. J'ai trouvé vos dragons et je sens qu'ils vont nous être utiles !

En cherchant la sortie, elle avait entrouvert la porte d'un hangar où flottaient, deux pieds au-dessus du sol, trois canots à la figure de proue monstrueuse.

— Trois têtes de bois, expliquait Mémé hâtivement. Trois petits drakkars volants. Même en me pinçant les oreilles, j'ai du mal à y croire. C'est complètement loufoque.

Elle tira sur l'une des têtes et le bateau s'approcha docilement.

Dans un cirque, ils auraient fait fureur.

— J'ignore comment ça fonctionne, dit-elle encore en caressant les cornes du dragon, mais il y a un mât et des pagaies.

Sans chercher davantage, madame

Trompe-la-mort détacha le plus petit des bateaux, embarqua Lucien et s'embarqua elle-même, laissant à Platypus le soin de courir au mur d'en face ouvrir la grande porte à manivelle.

Le premier coup de pagaie manqua de les faire verser, mais le second, plus habile, rétablit l'embarcation.

— Vite ! pressait Mémé.

L'explorateur faisait de son mieux.

Le rideau de fer était à peine levé que les Vikings déboulaient dans la place et se précipitaient, en hurlant, sur les deux autres bateaux.

Le drakkar de madame Trompinette filait à toute vitesse vers la sortie.

Lorsque la tête de dragon fut à sa hauteur, Platypus bondit, et d'une main s'accrocha aux bordages.

— Tiens bon ! hurla Trompe-la-mort.

Avec une force étonnante pour une dame de son âge, elle l'empoigna par la chemise et le hissa à bord.

CHAPITRE 16

Plus nombreux à pagayer, les Vikings gagnaient du terrain.

Les trois bateaux cinglaient vers le large en caracolant au-dessus des montagnes.

— Ils ne nous lâcheront donc jamais ! ? tempêta madame Trompe-la-mort.

— C'est joli, dit Lucien qui s'était approché du bord pour mieux regarder en bas.

— Ils se rapprochent de plus en plus, gronda Platypus. Ils nous rattrapent.

À cent coudées derrière, les Vikings commençaient à ricaner. Certains, du plat de l'épée, frappaient la coque de leur bateau.

Lucien leva la tête. Il venait d'apercevoir plein de caribous, au moins deux cents.

— Vous avez vu ? dit-il.

Ils n'avaient pas vu et ils n'avaient pas le temps. Ils étaient occupés. Ils avaient des soucis. De gros soucis.

— Préparez le grappin d'abordage ! cria un des poursuivants.

— Et pourquoi vous ne leur lancez pas des bâtons de dynamite ? demanda Lucien.

Mémé Trompinette cessa de pagayer, comme frappée par la foudre.

— Mais oui, s'exclama Platypus. La dynamite !

Il s'agissait d'y penser.

Très énervée tout à coup, Madame Trompe-la-mort s'était emparée de son sac et le fouillait comme une dératée.

— Voilà-voilà-voilà…, marmonnait-elle. Je les ai. Je les ai…

Elle brandissait les deux bâtons d'explosifs au-dessus de son bras, comme la statue de la Liberté brandit sa torche.

Le temps de les allumer et de les lancer, les drakkars ennemis volaient en mille miettes, en milliers de débris carbonisés.

Agrippés à leurs armes et à leurs pagaies, les Vikings battaient des jambes, battaient des pieds, en bourdonnant comme des libellules. Ils planaient de-ci de-là, voletaient mais très mal, en criant : « Odin ! Odin ! nous revoilà ! », et sans plus s'attarder disparaissaient.

— Bon débarras ! applaudit Mémé Trompinette.

Ce n'était pas très gentil de sa part mais ils l'avaient bien cherché.

* * *

Maintenant sans Vikings à ses trousses, madame Trompe-la-mort ne songeait plus qu'à retrouver son fauteuil. Le Walhalla c'est bien joli, mais quand on l'a visité une fois, inutile d'y retourner.

Elle en parlait en scrutant les montagnes. Des modifications qu'elle allait apporter au moteur, des voyages qu'elle allait faire au Caucase ou en Afrique.

Platypus, à la manœuvre, écoutait distraitement. Il faut dire qu'elle radotait un peu et qu'ils approchaient de la rivière. Les atterrissages, que ce soit en avion ou en drakkar volant, sont toujours délicats. Un coup de pagaie trop brusque et c'est la catastrophe. Mais, tout doux, le bateau avait amorcé sa descente. Il glissait dans l'air comme planent les feuilles mortes, lentement, en oscillant un peu comme une balançoire. Mémé s'était tue. Pour se dégourdir, elle avait raidi les jambes et se tapait les pieds l'un contre l'autre. Le bateau continuait de perdre de l'altitude. Deux renards arctiques, apeurés ou surpris, levèrent la tête et s'éloignèrent.

Tout à coup, sans crier gare, le ventre du drakkar toucha terre, craqua légèrement et cessa de remuer.

À deux pas, le fauteuil de madame Trompinette ruisselait d'humidité et d'impatience.

* * *

— Attendez, je vais vous aider ! cria Lucien.

Le petit garçon s'était levé précipitamment et enjambait maladroitement les bords de l'embarcation.

Amusée, madame Trompe-la mort attendit qu'il descende pour descendre à son tour. Pour lui faire plaisir, elle fit semblant de trébucher, juste à temps, pour qu'il la rattrape et lui tende le bras.

— Mémé, demanda Lucien avant de retourner au bateau. Et le crocodile ?

Parce qu'elle était émue, madame Trompinette lui pinça les joues et le serra contre son ventre.

— La prochaine fois, répondit-elle. Quand je te reverrai. Promis. Et puis, maintenant que je suis riche — elle tapotait la pochette où se trouvaient les diamants —, j'irai souvent te rendre visite. Allez, ouste !

Poussé par Mémé Trompe-la-mort, Lucien se rembarqua et courut s'asseoir dans le fond du bateau. Là, bien installé, il se tourna encore une fois vers elle et agita la main.

— Au revoir Lucien ! À la prochaine Platytruc, porte-toi bien !

— Au revoir, cria l'explorateur. À bientôt, madame Gertrude.

Puis, Nicolas Platypus donna un grand coup de pagaie et le bateau, comme mordu aux talons, s'éloigna et prit de l'altitude.

— Et maintenant, plein sud ! dit-il.

Déjà, on devinait la ligne des arbres.

CHAPITRE 17

Comme le vent soufflait du nord-est, l'explorateur décida de hisser la voile. C'était une petite voile carrée, pas très maniable mais qui pouvait remplir son rôle. Dessous, la forêt interminable défilait avec ses milliers de lacs et de rivières qui brillaient par éclats comme le soleil dans une vitre.

Lucien dormait, couché sur le dos, épuisé, la bouche ouverte.

Quand il se réveilla, des heures plus tard, le ciel était tout noir à l'exception d'une grosse lune rousse qui annonçait des chaleurs.

— Où sommes nous ? demanda-t-il.

— Sur le toit de la maison, répondit Platypus. Nous sommes arrivés.

Encore étourdi de sommeil, Lucien agrippa le rebord du bateau et se mit sur ses pieds.

Tout comme le drakkar, il tanguait sur sa quille.

— Quel vacarme, murmura Lucien. C'est toujours comme ça ? Je n'avais jamais remarqué.

— C'est toujours comme ça, répondit l'explorateur.

Des ambulances et des voitures de police, toutes sirènes vibrantes, descendaient l'avenue du Parc.

— Et la vieille dame ? demanda le petit garçon.

Platypus haussa les épaules.

— Elle est peut-être encore au salon, dit-il.

Lucien souleva son chandail et sortit la barbe de sous sa chemise.

C'était vraiment une très belle barbe. À

coup sûr, elle devait avoir des pouvoirs magiques.

— Et qu'est-ce qu'on fait du bateau ? On le garde ?

L'explorateur n'en savait rien. Est-ce qu'on pouvait garder une chose aussi étrange ? La question méritait d'être débattue. En attendant on pouvait toujours l'amarrer à la cheminée.

Un pied tâtonnant dans le vide, Lucien s'apprêtait à descendre l'échelle qui menait au balcon.

— Je crois qu'il n'y a personne, dit Lucien en posant le pied sur le premier barreau.

— Madame ! appela-t-il. Madame !

En dessous, tout était sombre. Rien que les plantes de la salle à manger qui se devinaient dans les rideaux.

Platypus avait suivi et, sans attendre, avait ouvert la porte de l'appartement.

— Quelle chaleur ! dit-il. Un four. Pire que la chaufferie du Walhalla.

Il allumait toutes les lumières, regardant jusque dans les placards.

— Personne ! s'écria l'explorateur. Pas l'ombre d'une vieille dame. Au moins, elle a fait sa vaisselle et rangé le café.

— Et la barbe ? s'inquiéta tout à coup Lucien.

Il se souvenait de l'avoir tout juste laissée au bord de la toiture, le temps de saisir le premier barreau.

— Je retourne la chercher, dit-il.

Avec cette brise qui venait de se lever, le toit semblait plus haut.

Lucien tendait le bras en raclant le gravier de la toiture.

Ses oreilles bourdonnaient. Au fur et à mesure qu'il montait d'un échelon et ratissait plus large, l'évidence lui coulait dans l'estomac : la barbe s'était envolée !

Il se hissa néanmoins jusqu'à la couverture pour vérifier pleinement. Avec le vent, les nuages s'étaient dissipés et on pouvait maintenant voir les étoiles.

— L'étoile polaire, s'émerveilla Lucien. La même que dans mon livre.

— Regarde, elle est là ! murmura Platypus qui était monté derrière lui.

— La barbe ! Je la vois !

C'était vrai. Elle tourbillonnait au-dessus de leur tête, montait et descendait comme pour les saluer.

— Peut-être qu'elle dit merci, souffla le petit garçon.

— Elle va sûrement rejoindre la vieille dame…

Ils la suivirent longtemps des yeux, jusqu'à la lune et plus loin encore, jusque dans la Voie lactée, jusqu'à ce qu'elle disparaisse.

MISE EN PAGES ET TYPOGRAPHIE :
LES ÉDITIONS DU BORÉAL

ACHEVÉ D'IMPRIMER EN OCTOBRE **2000**
SUR LES PRESSES DE L'IMPRIMERIE AGMV MARQUIS
À CAP-SAINT-IGNACE (QUÉBEC).